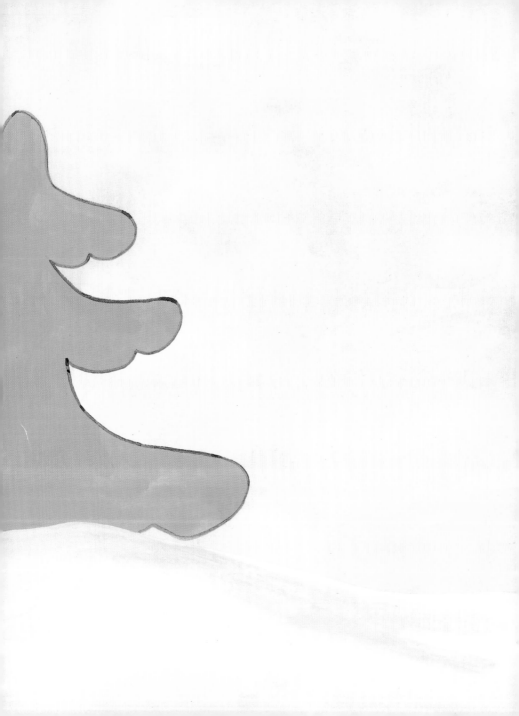

Pour Ella

ISBN 978-2-211-09329-3
Première édition dans la collection *lutin poche* : octobre 2008
© 2007, l'école des loisirs, Paris
Loi numéro 49 956 du 16 juillet 1949 sur les publications
destinées à la jeunesse : décembre 2007
Dépôt légal : février 2015
Imprimé en France par Aubin Imprimeur

Michel Van Zeveren

Et pourquoi ?

Pastel
lutin poche de l'école des loisirs
11, rue de Sèvres, Paris 6ᵉ

Ce matin, le petit chaperon rouge
se rend chez sa mère-grand…

Quand tout à coup, un grand méchant loup
lui tombe dessus.

Rhââââ !
Je vais te manger !

Et pourquoi ?

Comment ça, pourquoi ?
Parce que j'ai faim, tiens !

Et pourquoi ?

Ah ! ben, euh… parce que je
ne me suis rien mis sous la dent
depuis des jours et des nuits…

Et pourquoi ?

Parce que je ne peux plus chasser
tranquillement!

Et pourquoi ?

Parce que je dois me cacher
tout le temps!

Et pourquoi ?

Parce qu'un chasseur est à mes trousses !

Et pourquoi ?

Pour me faire la peau !

Et pourquoi ?

Pour la vendre à un marchand !

Et pourquoi ?

Pour en faire un manteau de fourrure !

Et pourquoi ?

Parce que !

dit le loup qui, à bout de patience,

avale le petit chaperon rouge
d'un coup !

Aaaaah… Maintenant, je vais faire
une petite sieste…

Et pourquoi?

Oh! nooon...
Tu ne vas pas recommencer...

Et pourquoi ?

Est-ce que tu vas t'arrêter ?
Je n'en peux plus...

Si c'est comme ça,
je vais chez le chasseur...

Et pourquoi?

Pour lui prendre son couteau !

Et pourquoi ?

Pour m'ouvrir le ventre !

Et pourquoi ?

Mais cette fois, à sa grande surprise,
le loup n'a pas le temps de répondre…

Hum !

Je me demande pourquoi il a fait ça,
dit le chasseur…

Moi, je sais pourquoi !

dit le petit chaperon rouge en sortant
du ventre du loup.